♥ Meine Mutter ist die schönste Frau auf der ganzen Welt!

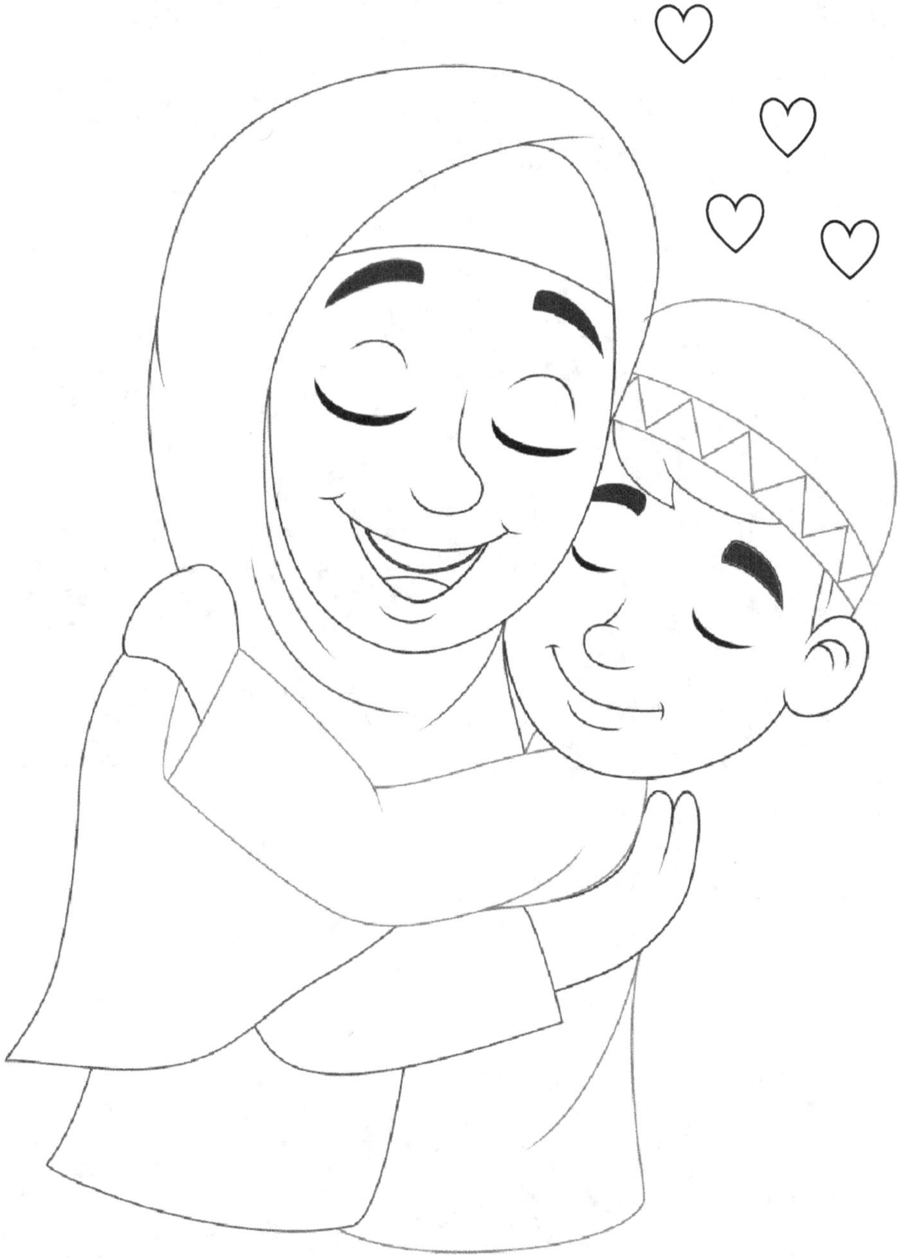

LABYRINTHE

Es ist mein erster Schultag,
Wo ist der Weg, bitte?
Labyrinth
1
Labyrinth
2
As-salamu alaikum,
ich möchte in die
Moschee gehen.
Bitte hilf mir!

FINDE DIE UNTERSCHIEDE

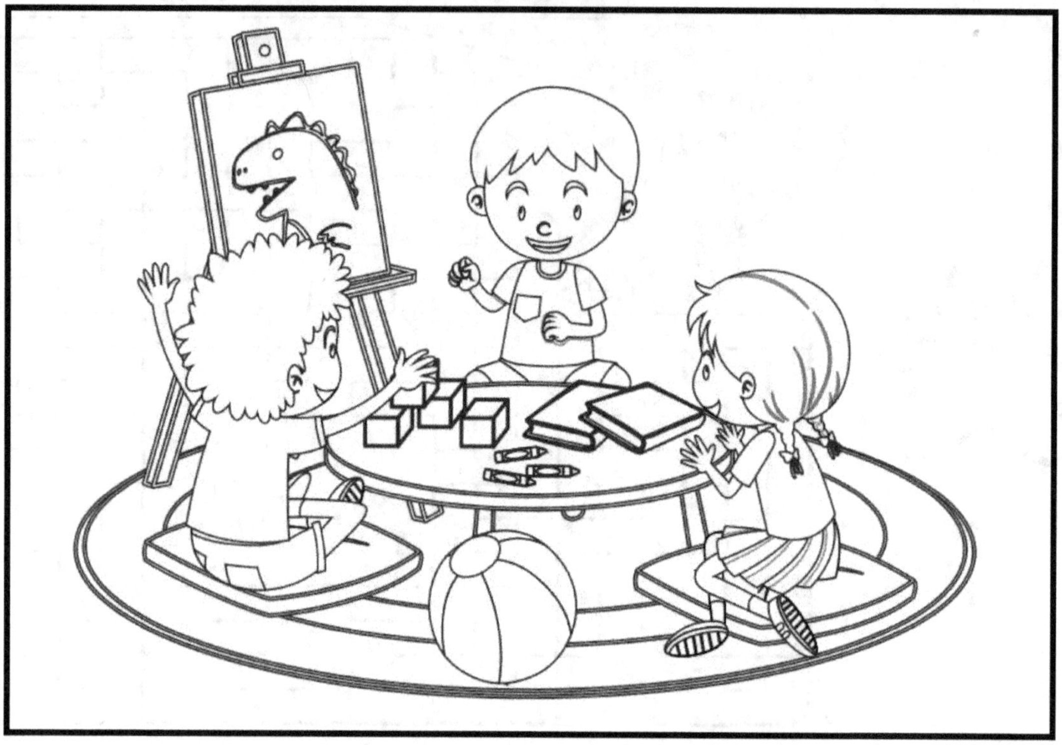

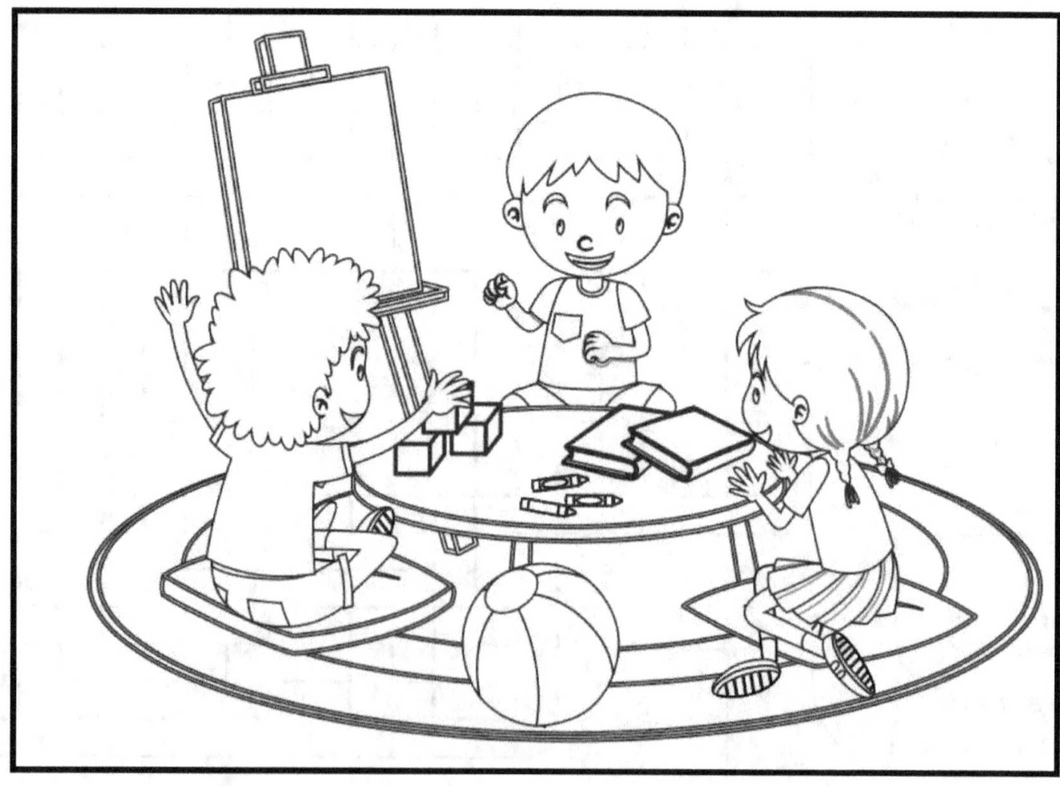

Finde 7 Unterschiede

FÄRBUNG

Gutes tun macht glücklich

MALEN NACH ZAHLEN

SUDOKU PUZZLES

3

Für wen ist das Fasten im Ramadan nicht verpflichtend?

☐ Arme menschen

☐ Menschen

☐ Menschen mit Untergewicht

☐ Reisende

4

Was bedeutet Zam Zam?

☐ Brunnen

☐ Getränk

☐ Halt

☐ Weihwasser

Dua vor dem Schlafengehen hält Shaitan von mir fern.

BUCHSTABENSALAT

Namen der Salawat

* SOBH
* DOHR
* ASR
* MAGHRIB
* ICHAA
* DOHA
* KHOSOF
* KOSOF
* TARAWIH

Namen der Propheten

* ADAM
* IBRAHIM
* ISA
* ISMAIL
* LOT
* MOSA
* MUHAMMAD
* SALIH
* SULEIMAN
* ZAKARIYA

LABYRINTHE

Die Katze hat Hunger, hilf ihr zum Futter!

Labyrinth 3

Der Schmetterling kann ohne Nektar nicht leben. Hilf ihr auch!

Labyrinth 4

Der Islam ist die Religion des Wissens und des Erfolgs.

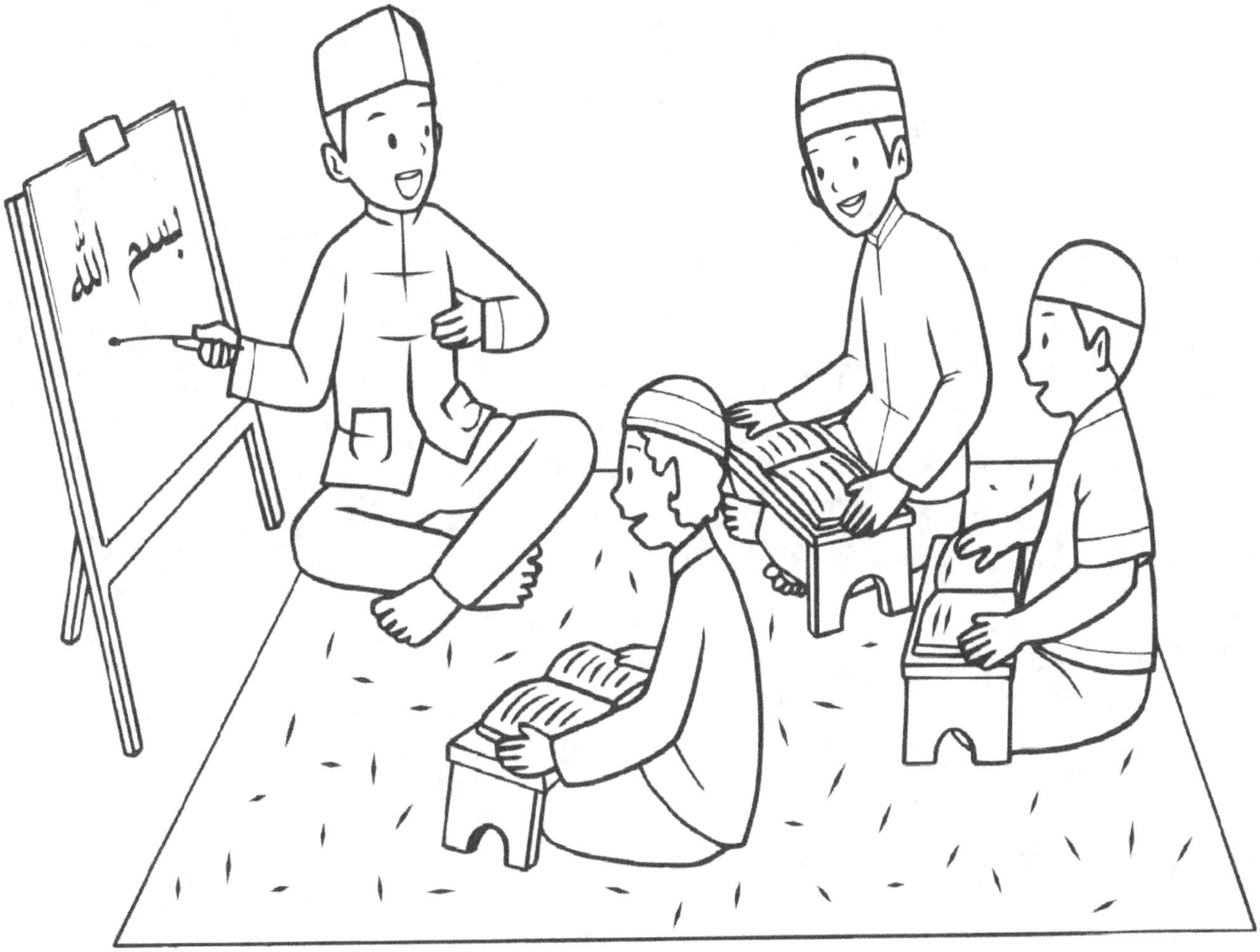

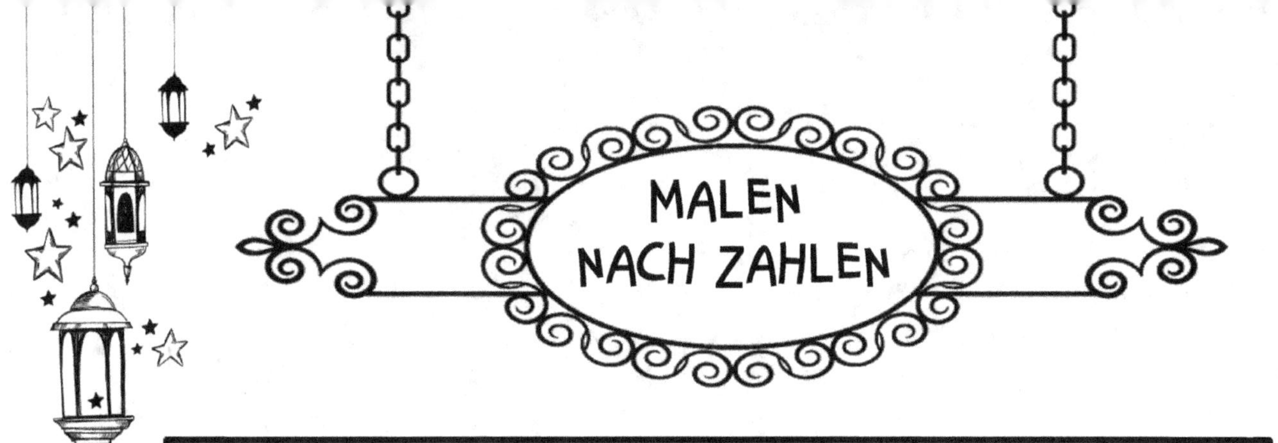

MALEN
NACH ZAHLEN

1 Hellbllau
2 Grün
3 Hellgrün
4 Beige
5 schwarze
6 Blau
7 Orange

Heute mache ich ein leckeres Iftar!

FINDE DIE UNTERSCHIEDE

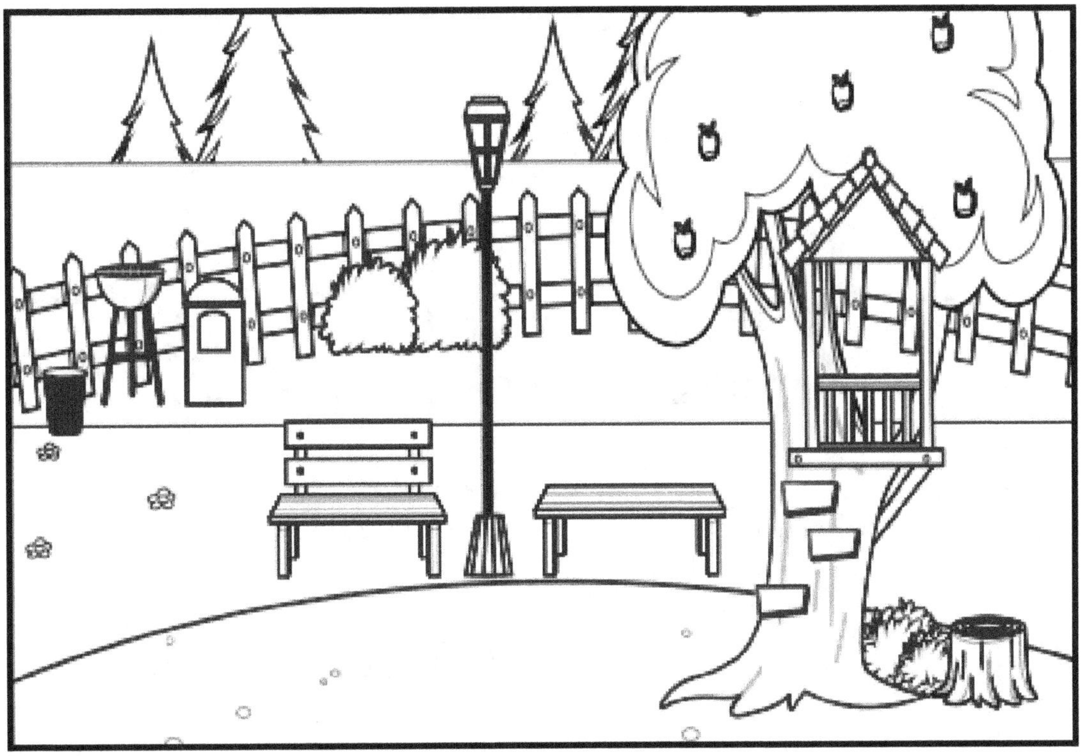

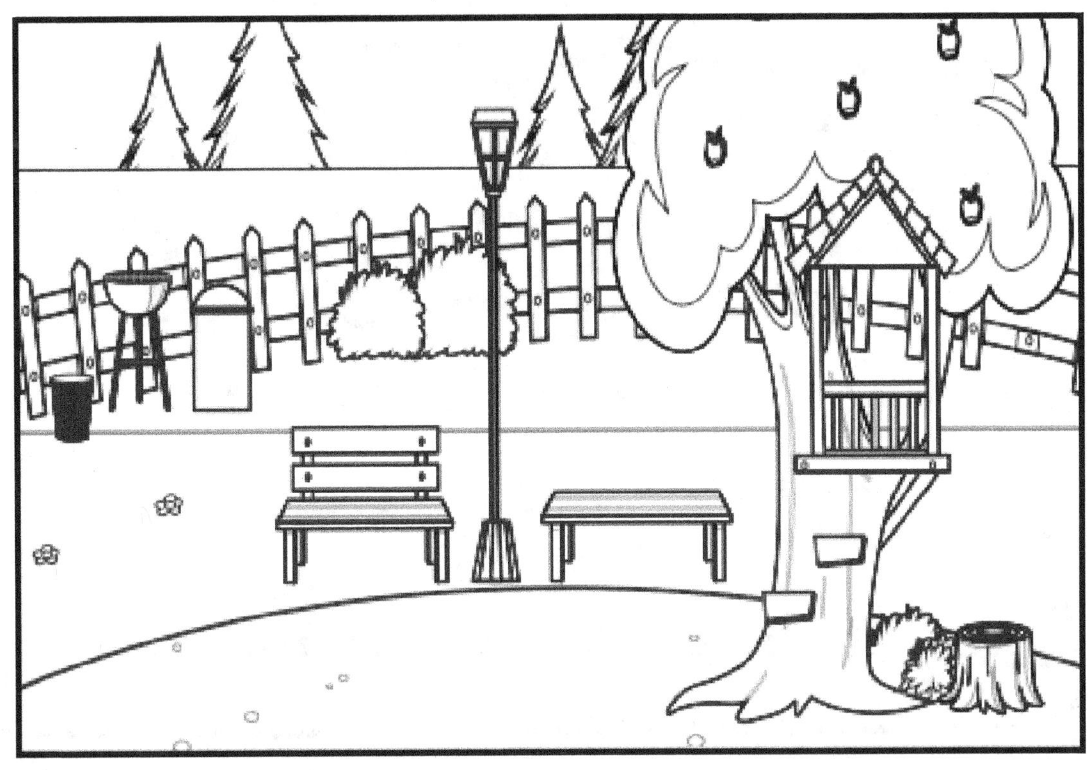

FINDE 7 UNTERSCHIEDE

5

Wer ist nicht der Onkel des Propheten ﷺ ?

- ☐ Al-ʿAbbās
- ☐ Abū Tālib
- ☐ Abu Lahab
- ☐ Abo'Obayda

6

Wie viele Kinder hatte der Prophet ﷺ

- ☐ 6 Töchter und 2 Söhne
- ☐ 4 Töchter und 3 Söhne
- ☐ 5 Töchter und 5 Söhne

Die Moschee ist die Heimat der Muslime

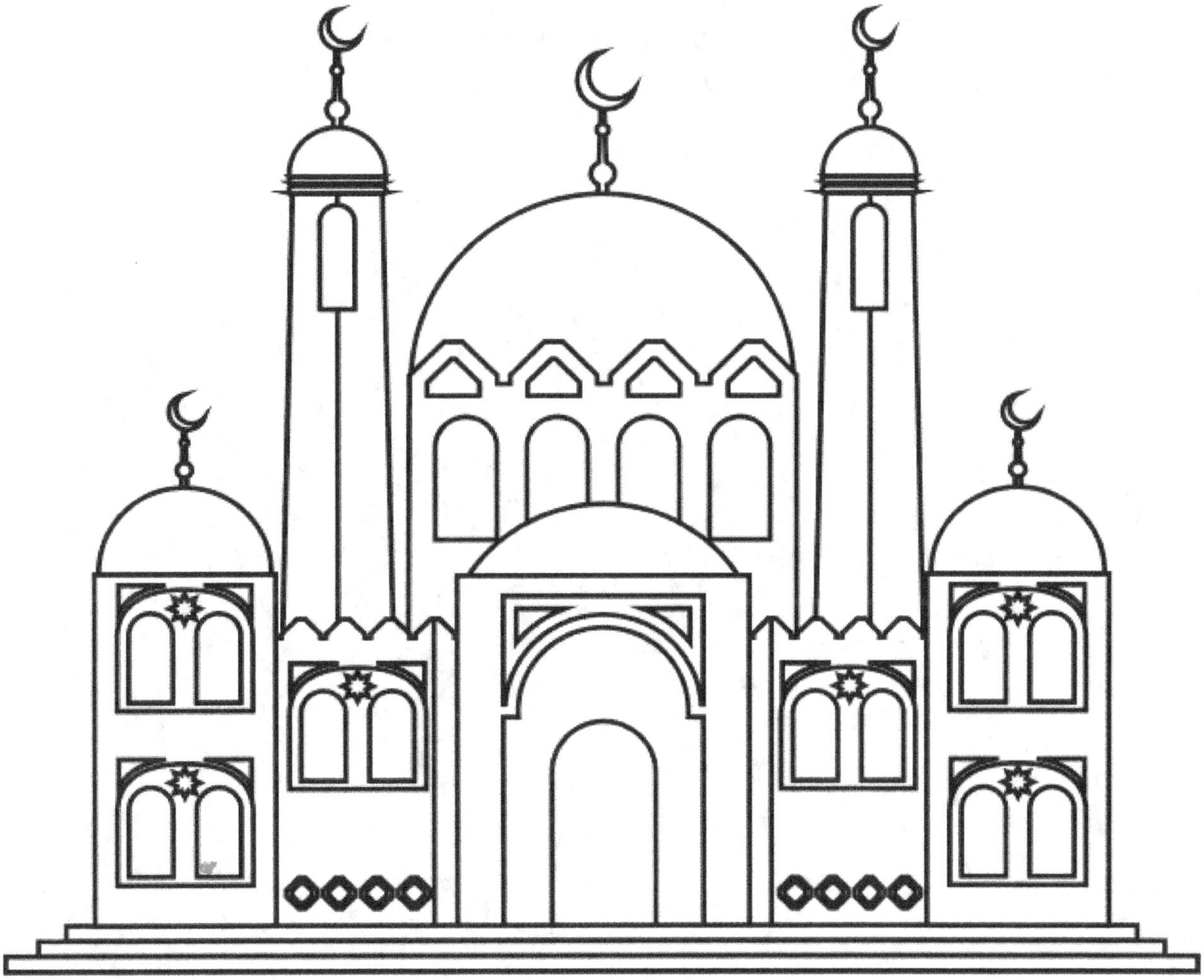

1 Hellgrün
2 Hellbllau
3 Blau
4 Gelbe
5 Orange

BUCHSTABENSALAT

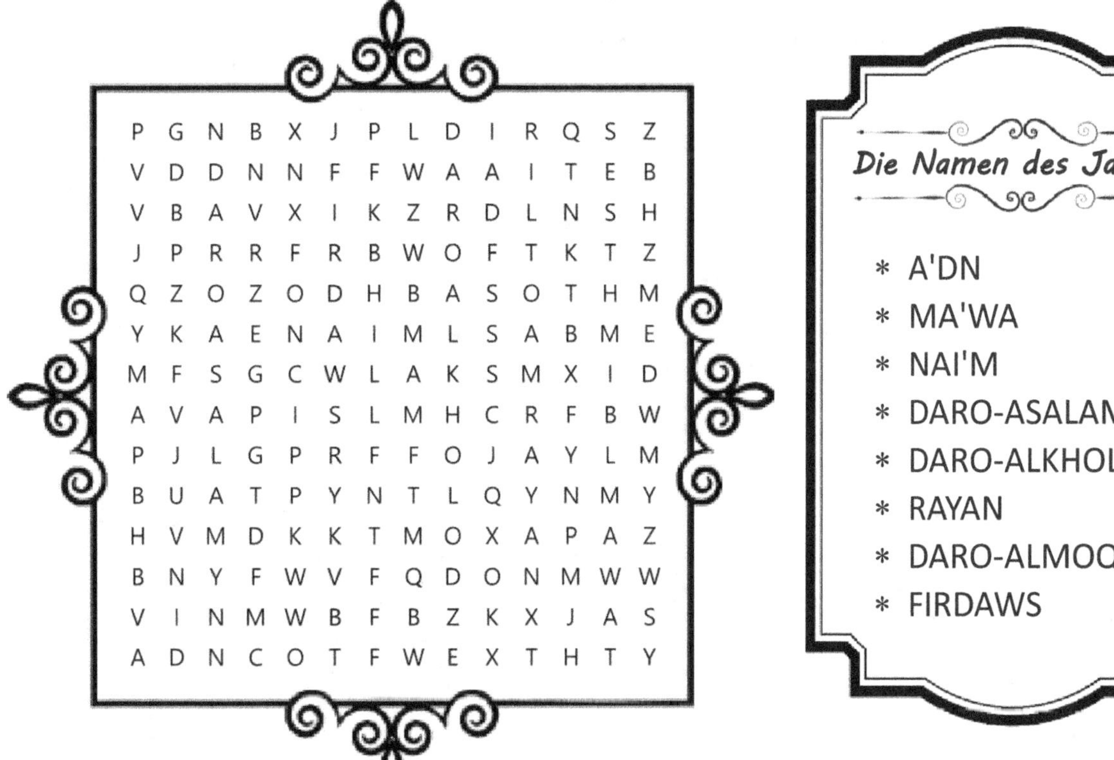

Puzzle 1 grid:

```
Z G D V F V A R F H U J K R
X A C J C A G T E A V L F U
S F I O W R Z Z L K T X C I
I B U N T D G Q E T Z I O B
A W D T A P J D X Y V X M R
B M Q M A B D O L L A H U A
Q V K Z H A Z A A Y G N Q H
X E G M V E E R A A S X K I
P I M Y O M O K A L T H O M
H K A I C Q O M A K J I A H
A W C S I R W N A A U P L G
H M V B S L V Q U S B S Q A
Y K Z L E X D U X I D U Q E
B S V M E S Z T A M Q V K H
```

Die Kinder des Propheten ﷺ

* ABDOLLAH
* ALKASIM
* FATIMA
* IBRAHIM
* OMOKALTHOM
* ROKAYA
* ZAINAB

Puzzle 2 grid:

```
P G N B X J P L D I R Q S Z
V D D N N F F W A A I T E B
V B A V X I K Z R D L N S H
J P R R F R B W O F T K T Z
Q Z O Z O D H B A S O T H M
Y K A E N A I M L S A B M E
M F S G C W L A K S M X I D
A V A P I S L M H C R F B W
P J L G P R F F O J A Y L M
B U A T P Y N T L Q Y N M Y
H V M D K K T M O X A P A Z
B N Y F W V F Q D O N M W W
V I N M W B F B Z K X J A S
A D N C O T F W E X T H T Y
```

Die Namen des Jannah

* A'DN
* MA'WA
* NAI'M
* DARO-ASALAM
* DARO-ALKHOLOD
* RAYAN
* DARO-ALMOQAMA
* FIRDAWS

FINDE DIE UNTERSCHIEDE

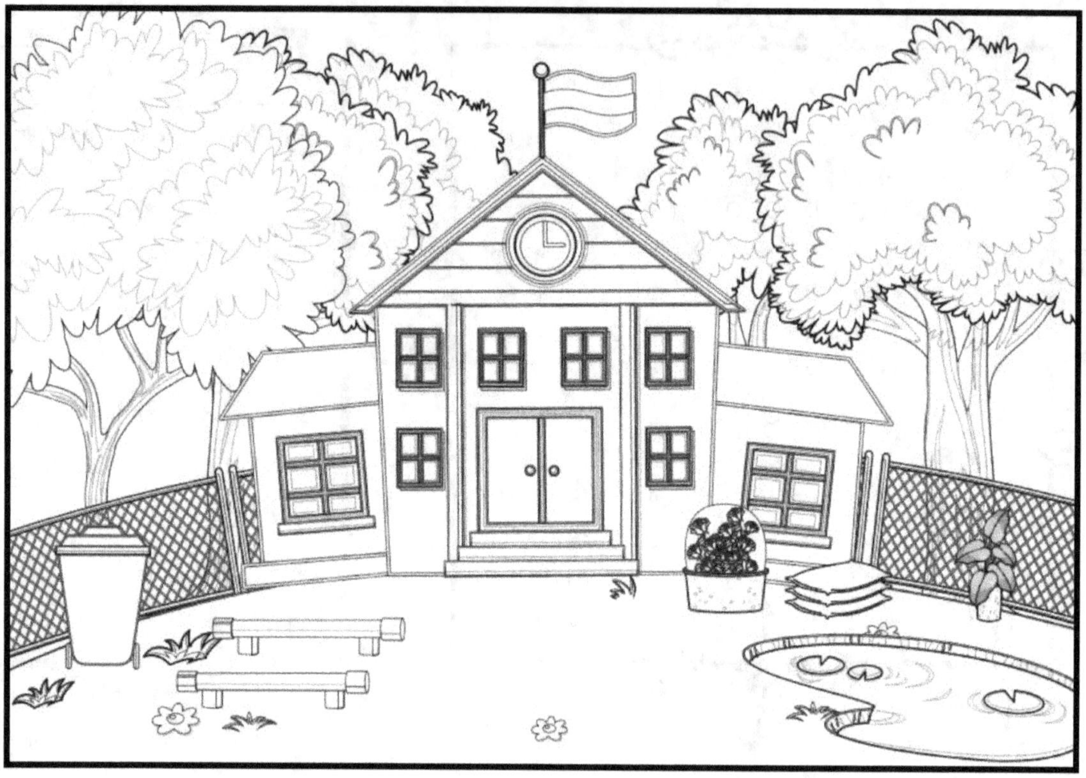

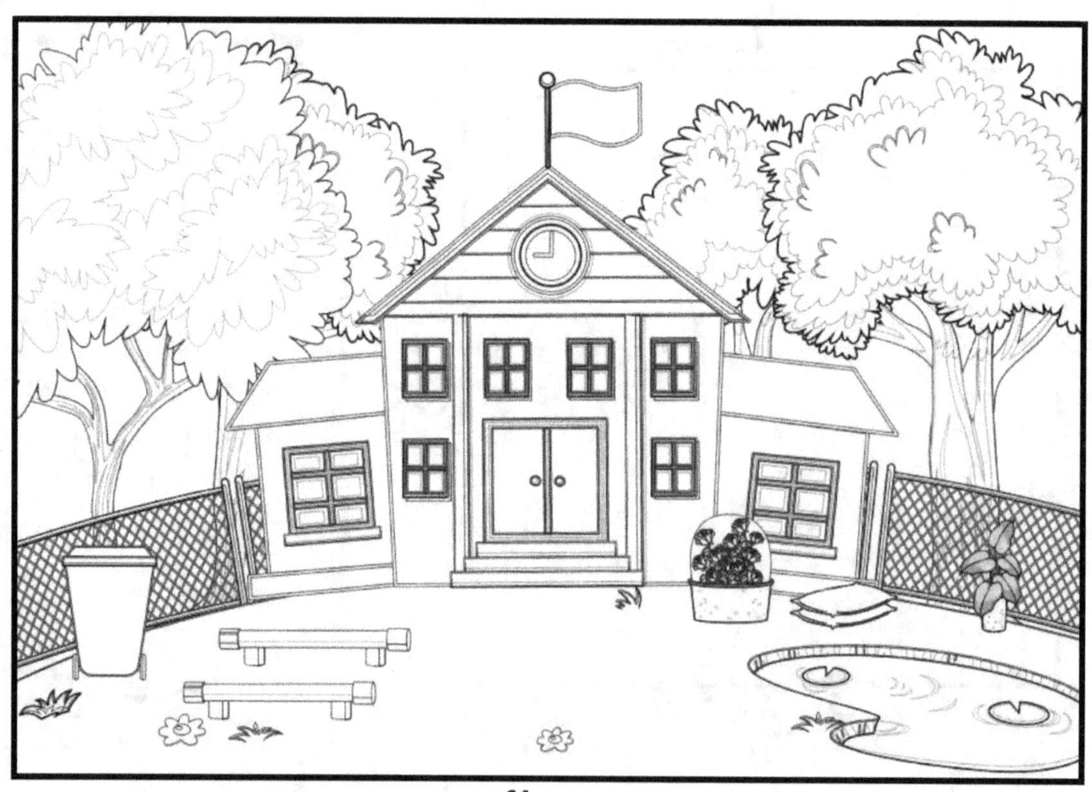

FINDE 7 UNTERSCHIEDE

Heute helfe ich meiner Mutter im Haushalt.

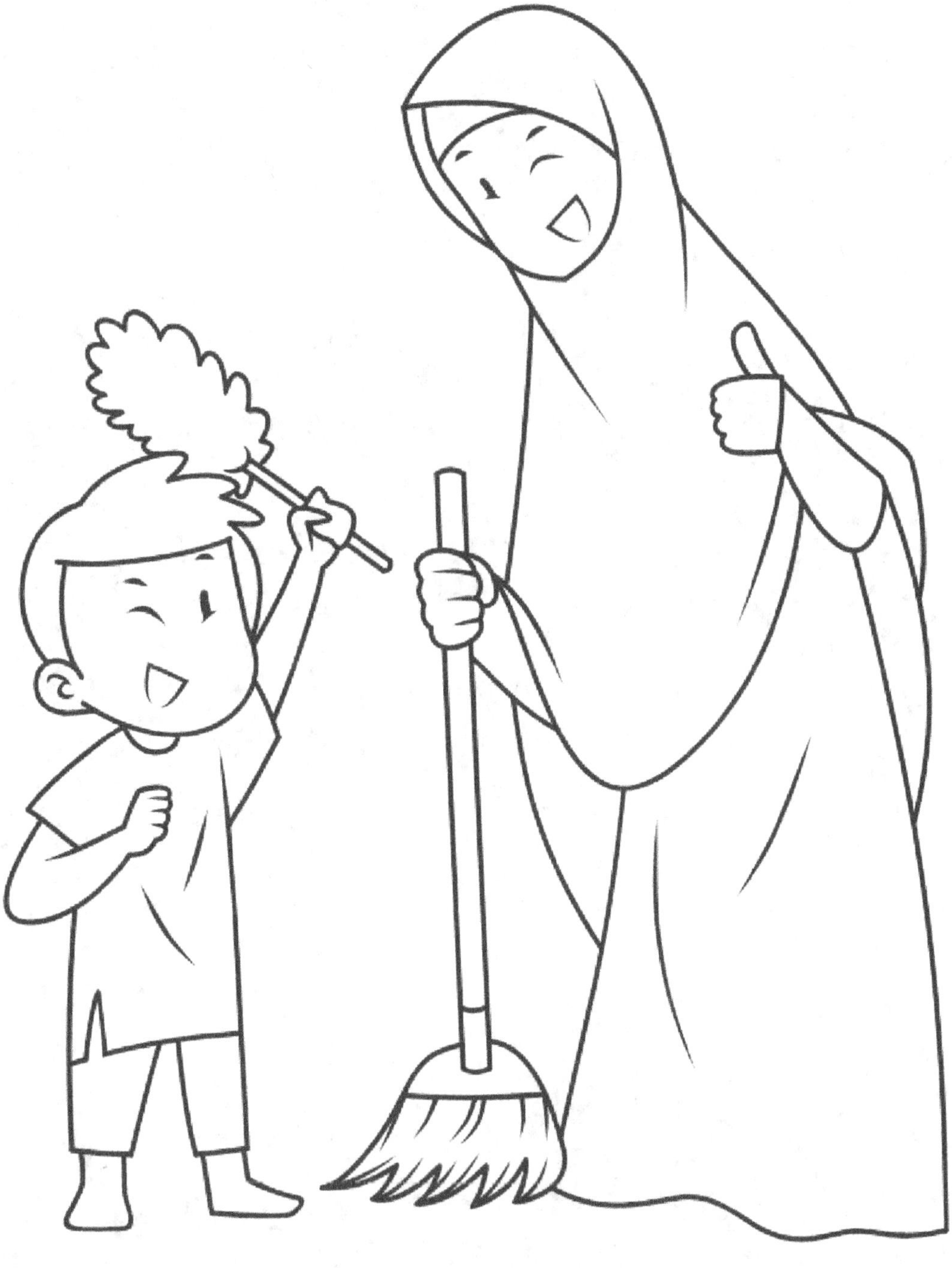

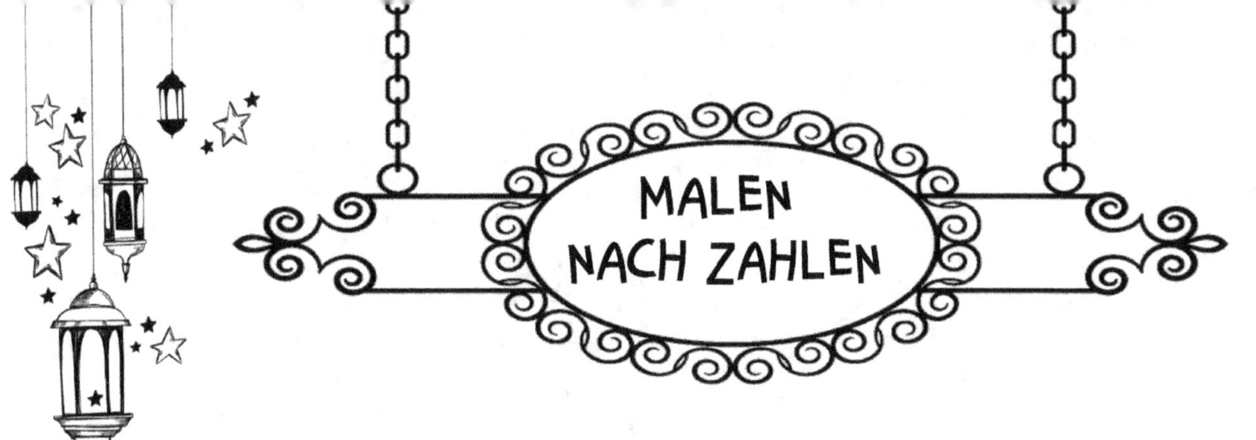

1) Hellbllau   2) Gelb   3) Hellgrün

4) Braun   5) Haselnuss   6) Rosa

7) Braunrot   8) Rot

10

3				1	
	2		5		
	4	6			
	5		4	6	
		4			2
5					3

11

			3	6	
	1			5	2
	2		5		
3	6				
5		2		1	
1				3	

12

3					
			2		5
4	5		6		
	6			4	1
		2	4	5	
	4	6			2

13

5		3			
				2	
3		6			2
		1	6		5
			2		6
	1	2			

14

		3		5	
	1	5		6	
1		2	3		
			1		6
	3				
					2

15

6	2				
				2	5
4	6				
5				4	
				1	
		1		2	4

FINDE DIE UNTERSCHIEDE

FINDE 7 UNTERSCHIEDE

Eid Mubarak! Wish you all a very happy and peaceful Eid.

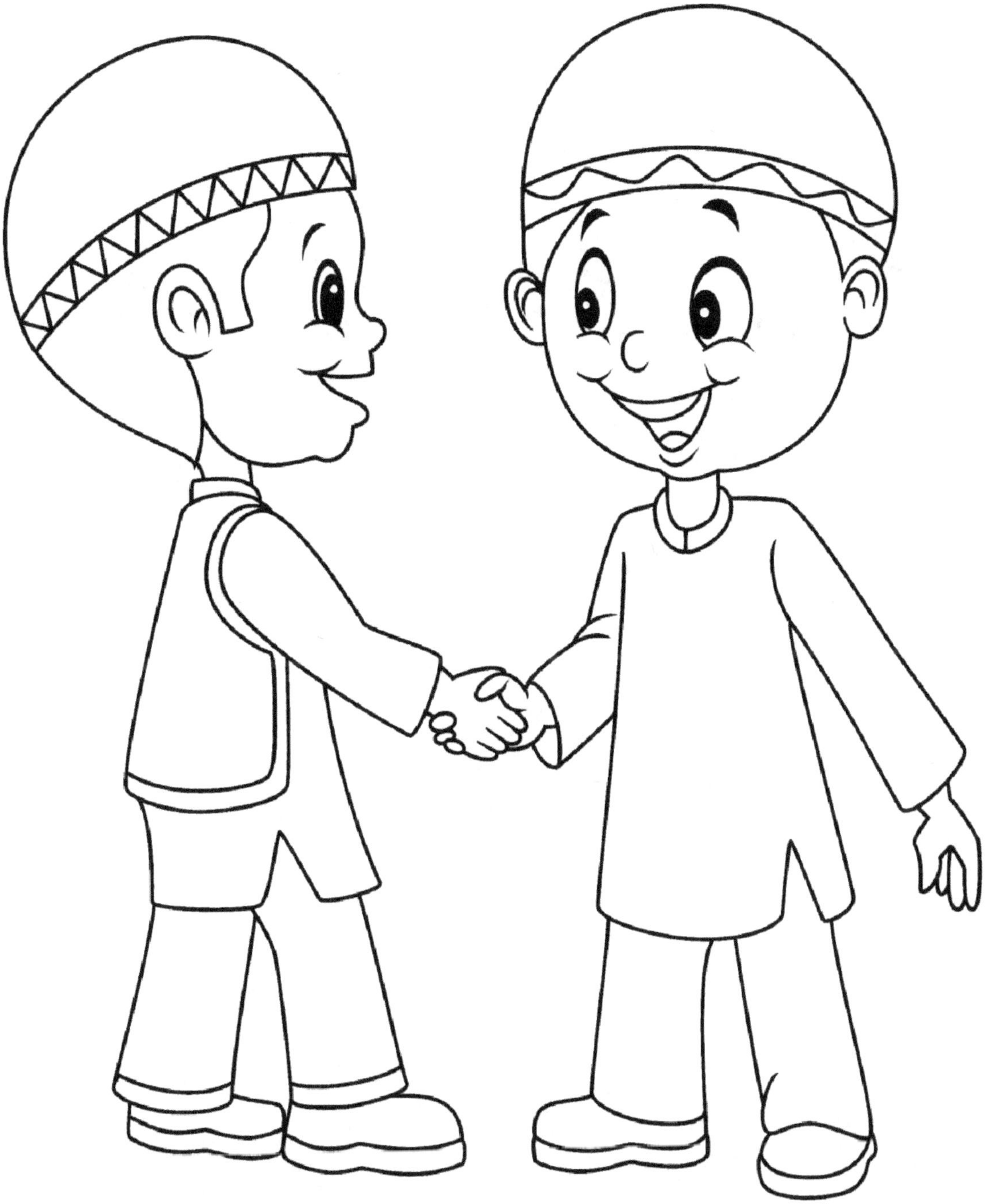

SPIELERGEBNISSE

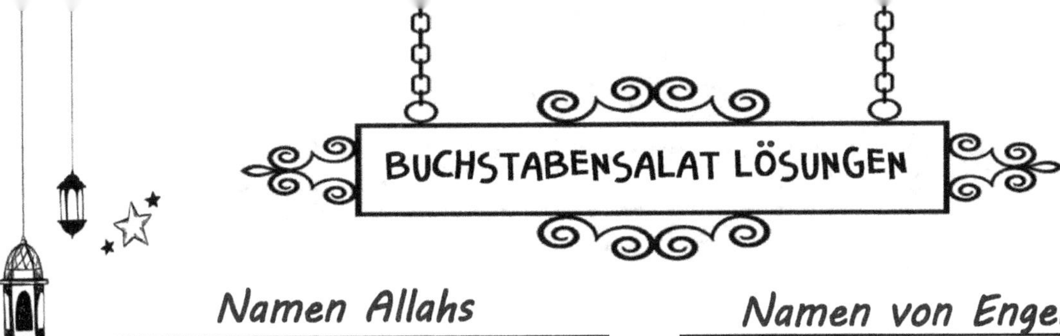

Namen Allahs

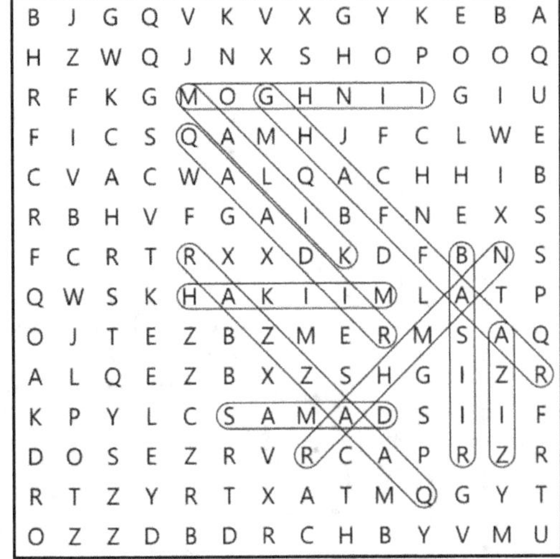

Namen von Engeln

Namen der Propheten

Namen der Salawat

Die Kinder des Propheten ﷺ

Die Namen des Jannah

LABYRINTHE LÖSUNGEN

Labyrinth 1

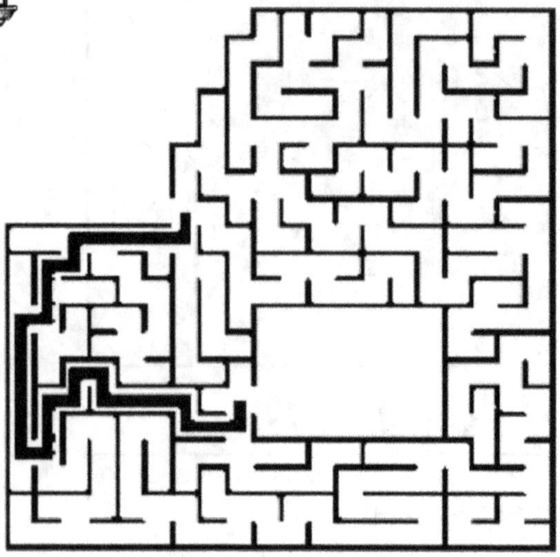

Labyrinth 2

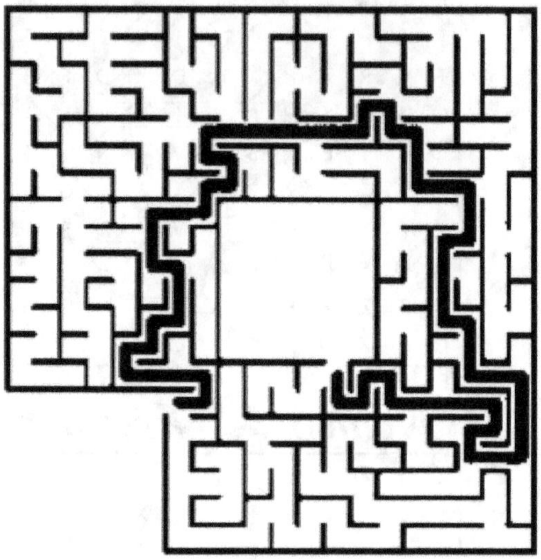

Labyrinth 3

Labyrinth 4

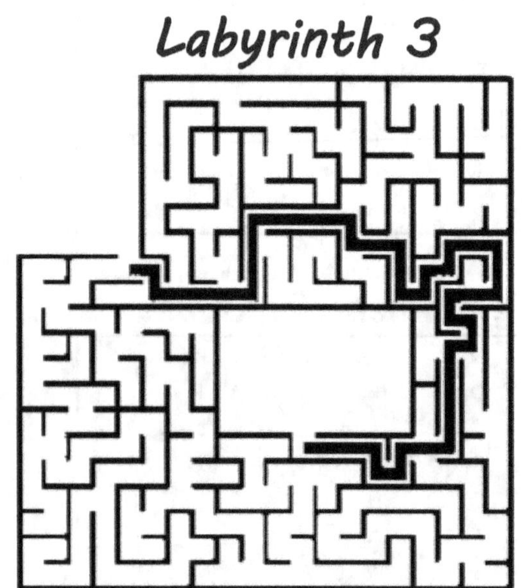

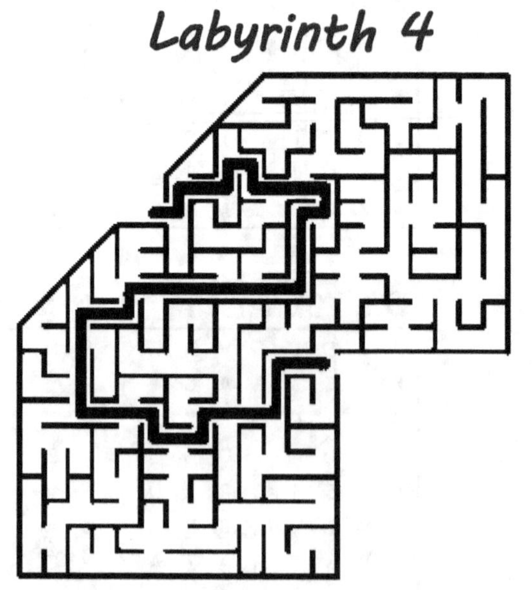

FINDE DIE UNTERSCHIEDE LÖSUNGEN
P:40
P:57

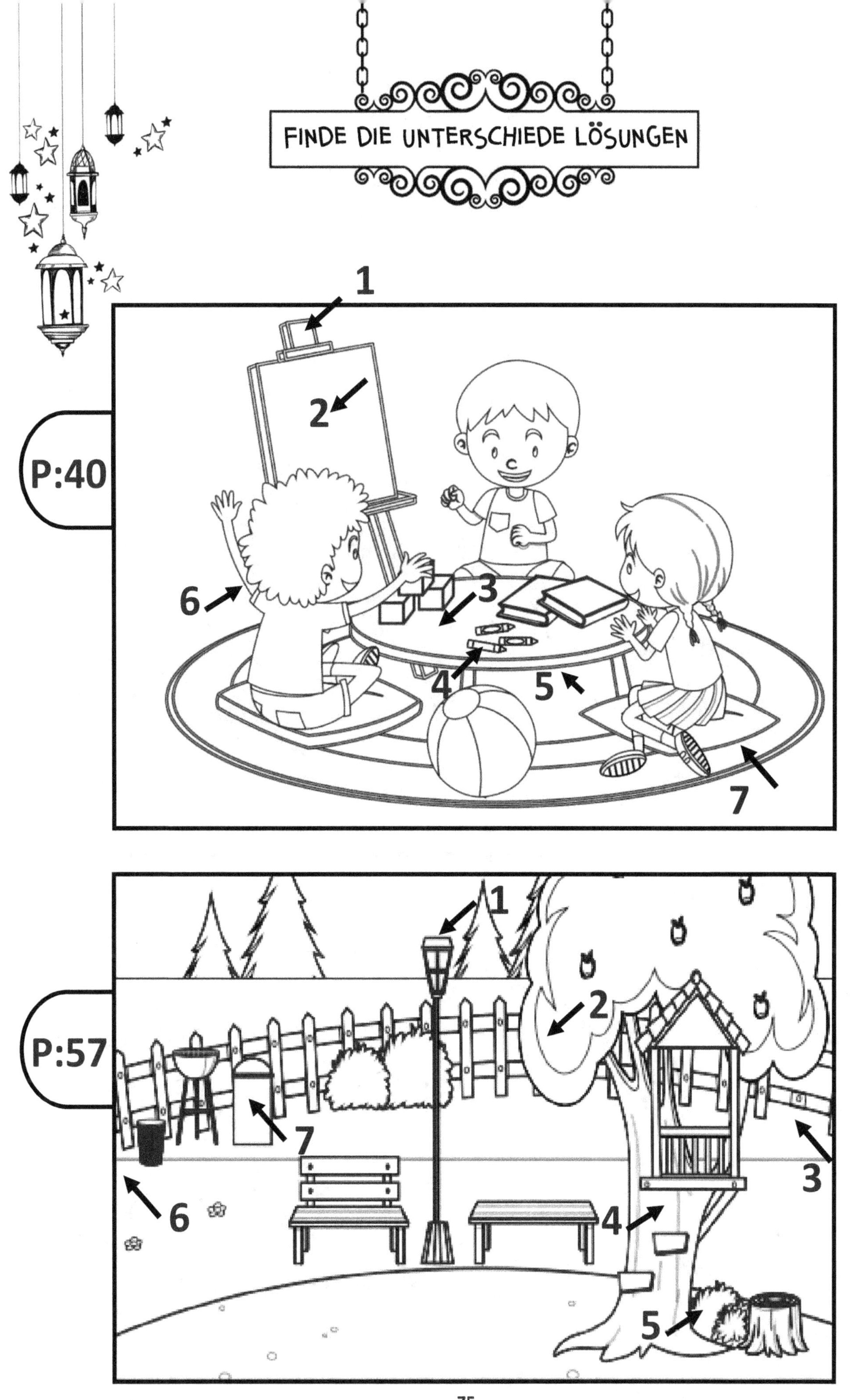

FINDE DIE UNTERSCHIEDE LÖSUNGEN

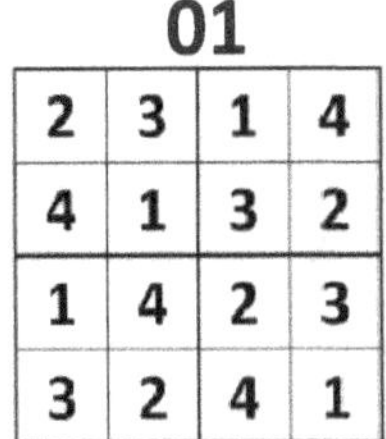

01

2	3	1	4
4	1	3	2
1	4	2	3
3	2	4	1

02

4	1	3	2
2	3	1	4
1	2	4	3
3	4	2	1

03

4	1	3	2
2	3	1	4
1	2	4	3
3	4	2	1

04

4	3	2	1
2	1	3	4
1	2	4	3
3	4	1	2

05

4	2	3	1
3	1	4	2
2	3	1	4
1	4	2	3

06

4	1	3	2
2	3	1	4
1	2	4	3
3	4	2	1

07

1	2	3	4
3	4	2	1
2	1	4	3
4	3	1	2

08

2	3	4	1
4	1	2	3
1	2	3	4
3	4	1	2

09

2	4	3	1
1	3	4	2
3	2	1	4
4	1	2	3

10

3	6	5	2	1	4
4	2	1	5	3	6
1	4	6	3	2	5
2	5	3	4	6	1
6	3	4	1	5	2
5	1	2	6	4	3

11

2	5	3	6	4	1
6	1	4	3	5	2
4	2	1	5	6	3
3	6	5	1	2	4
5	3	2	4	1	6
1	4	6	2	3	5

12

3	2	5	1	6	4
6	1	4	2	3	5
4	5	1	6	2	3
2	6	3	5	4	1
1	3	2	4	5	6
5	4	6	3	1	2

13

5	2	3	4	6	1
1	6	4	5	2	3
3	5	6	1	4	2
2	4	1	6	3	5
4	3	5	2	1	6
6	1	2	3	5	4

14

6	2	3	4	5	1
4	1	5	2	6	3
1	6	2	3	4	5
3	5	4	1	2	6
2	3	6	5	1	4
5	4	1	6	3	2

15

6	2	5	4	3	1
1	3	4	2	6	5
4	6	3	1	5	2
5	1	2	3	4	6
2	4	6	5	1	3
3	5	1	6	2	4

❑ QUIZ 1

Frage: Allah erschuf die Engel aus:

Antworten: Light

❑ QUIZ 2

Frage: Welcher Prophet wird am häufigsten im Koran erwähnt?

Answer: Mosa ﷺ

❑ QUIZ 3

Frage: Für wen ist das Fasten im Ramadan nicht verpflichtend?

Antworten : 27

❑ QUIZ 4

Frage: Was bedeutet Zam Zam?

Antworten: Halt

❑ QUIZ 5

Frage: Wer ist nicht der Onkel des Propheten ? ﷺ

Antworten : Abo'Obayda

❑ QUIZ 6

Frage: Wie viele Kinder hatte der Prophet ﷺ

Antworten : 4 Töchter und 3 Söhne

alhamdulillah